DET STIG AV HAV EIT

ROGALAND

Vindafjorden, Vindafjord

Bilder/Pictures: Inge Bruland.
Redaktører/Tekst editors: Inge Bruland og Øyvind Wigestrand. Engelsk tekst/English text: Michael Evans.
Sats/Typesetting: Ide Sats. Trykk/Printing: Bryne Offset AS.
Innbinding/Binding: Kristoffer Johnsen Grafiske Senter AS.
Papir/Pager: 170 g Galerie Art silk. Levert av Carl Jonsson Papir a/s.

ROGALAND FORLAG AS.

ISBN 82-91370-00-1

DET STIG AV HAV EIT

ROGALAND

Inge Bruland

ROGALAND FORLAG

FORORD

Rogaland fylke er et slags Norge i miniatyr med alt fra høgfjell og fjord til øyer og flatland. Jeg blir visst aldri lei av å vandre i dette landskapet. Denne billedboken er et resultat av mange års skattejakt med fotoapparatet og er tenkt som en kjærlighetserklæring til mitt hjemfylke.

Boken er laget etter de fire årstidene. Men det milde kystklimaet har gjort det vanskelig å følge kalenderen helt konsekvent. For at boken skal være et rent rogalandsprodukt er de litterære tekstene utlukkende hentet fra rogalandsdiktere.

Det er selvsagt uråd å gi et fullstendig bilde av et helt fylke mellom to permer. I det utvalg som jeg legger fram, har jeg forsøkt å skildre det typiske for landsdelen og i størst mulig grad latt kvaliteten på det enkelte bilde være avgjørende for det endelige utvalget.

PREFACE

With its high mountains, deep fjords, islands and flat pasturelands, the county of Rogaland is like a miniature Norway. It seems I'll never tire of wandering through this beautiful landscape. This book is the fruit of many years of treasure-hunting with my camera, and it is meant as a declaration of love to my home county.

It is arranged according to the four seasons. But the mild coastal climate makes following the calendar strictly a bit difficult. This book is a pure product of Rogaland, and all of the texts I excerpt from are written by authors from Rogaland.

It is of course impossible to give a complete picture of an entire county within the covers of a single book. This selection of photographs attempts to find what is typical of Rogaland. I have let the quality of the photographs determine the final selection.

2. opplag
Randaberg, september 1997
Inge Bruland

Vår

Spring

Langs oppefter Nilen satt tett av fugler og stekte i den gloende sol. De pillet og ordnet fjærene, slo et par slag for å prøve vingene, snappet dovent en orm eller et firben, hvorav det myldret i sumpen.

Men der var altfor meget mat, altfor varmt, altfor stille; de lengtet efter koldt regn, grå luft og friske stormer.

Talløse flokker av grågjess og svaner svømmet om i de åpne steder mellom sivene innover de vidstrakte sumper. Heirer og storker raget opp hist og her; sammenkrøpne stod de på ett ben og hang med nebbet; de kjedet seg noe ganske forskrekkelig

Allslags snepper og vannfulger, viber, brushaner, ringjess, vannhøns, vaktler, svaler — ja, like til den simple stær — alle kjedet seg, så at fjærene holdt på å falle av.

Krokodillene pliret med de slimete, lysegrønne øyne og snappet av og til en fet gås, så det løftet seg et skrik og et skrål, som besvartes oppover og nedover floden, døde hen langt — langt borte; og stillheten fra ørkenen la seg atter over det gloende landskap og det trege mylder av fugler som satt og ventet — de visste ikke riktig hva.

Da fløy en liten grå fugl bent opp i luften, sto stille der oppe et øyeblikk og slo uhyre hurtig med vingene, mens den kvitret en kort stump; derpå dalte den igjen og skjulte seg i gresset. Hele fugleskaren hadde løftet hodet og lyttet. Og så ble det en snadring og kvitring og en urolig mudder i hver en krok.

Men de eldste svanene holdt generalforsamling for å overveie lerkens reiseforslag. For alle hadde straks kjent lerken på lyden; skjønt det var ikke mer enn to-tre toner, han hadde fått til; sangen var ikke riktig kommet i strupen ennu.

Mens svanene rådslo, lød det et forskrekkelig plask, og luften ble ganske formørket. Det var grågjessene som lettet. I store flokker delte de seg, svermet om i luften, ordnet seg derpå i lange rekker og forsvant nordover, mens deres skrik tapte seg i det fjerne.

Stæren reiste seg i sorte masser og brøt opp, vibene fulgte; storkene skrudde seg parvis høyt opp i luften, inntil de nesten ble borte, og tok så på veien nordover. Svanenes generalforsamling gikk aldeles overstyr i den alminnelige forvirring og uro; all verden ville avsted, der var ingen besinnelse mere; hvert øyeblikk passerte nye flokker utover Nord-Afrika — hilsende hver med sitt nebb det smilende blå Middelhav der nede.

De norske lerkene ventet i det lengste; men da de danske dro, fulgte de med for gammelt vennskaps skyld. Reisefeberen grep i den grad om seg, at endogså svalene og gjøken måtte avsted; de ville iallfall fly over Middelhavet, så kunne man betenke seg.

Natt og dag fløy trekkfuglene nordover. Og alt eftersom de kom over kjente steder, dalte hver flokk til sitt hjem, ropende farvel til dem som skulle enda lenger. Det var tett av små rosenknopper i Italia; epletrærne var ganske oversnedde med blekrøde blomster oppefter Sydfrankrike. Men nordenfor ble det koldt; sneflekker hist og her og en sur vind fra Nordsjøen.

Alle var enige om at man var kommet altfor tidlig avsted, og hadde de bare fått tak i den galningen som lokket dem fra Egypts kjøttgryter, hadde de visst ribbet ham.

Hjemme i Norge så det fra først av bedrøvelig ut. Snøen lå langt nede i dalene og alenhøy i de tette skoger. Men sønnen-vinden var kommet med regn, så det gikk i ruff — ikke gradvis og fredelig, men med bulder og brak og snøskred og fossende elver, så landet lignet en jette som vasker seg, mens det iskolde vann skyller nedover de senesterke lemmer.

Og lette slør av lysegrønt la seg over de unge bjærketrær i liene; inne i de stille bukter og fjordene; over slettene vest-ute mot havet, over multemyrene og heiene, og efter rifter og kløfter og trange daler mellom fjellene. Men på toppen ble sneskavlen og breen liggende, som om de gamle fjell ikke gad lette på hatten for en slik flyktig galning av en sommer.

Og solen skinte så varmt og fornøyet, og vinden kom bærende med enda mere varme sønnenfra, og tilslutt kom gjøken som overseremonimester, for å se om alt var i orden; han fløy hit og dit, satte seg så i en ung bjerk innerst i en lun vik og gol: Våren er kommen; gamle Norge var endelig ferdig!

Og der lå det, høyt og skinnende fagert i det blå hav; så fattig og magert, — så friskt og sundt og smilende som et renvasket barn.

Utdrag fra Alexander Kiellands «Arbeidsfolk».

Along the banks of the Nile a flock of birds sat and roasted in the burning sun. They preened and smoothed their feathers, tested their wings with a flap og two, picked lazily at a worm or a lizard, of which the marshy banks teemed.

The crocodiles squinted their slimey, light-green eyes, and occasionally snatched a fat goose, releasing a shreik and a squall that was answered up and down the great river until it slowly faded away in the distance, and the silence of the desert settled again over the burning landscape and the lazy collection of birds that sat there waiting – they knew not what for.

Then a small, grey bird flew straight up in the air, stood still a moment and beat furiously with its wings while it sang a short melody. Then it wafted down and hid in the high grass. The entire host of birds had raised their heads and listened. Then a cacaphony of quacks and quawks and chirps broke loose in every nook of the river.

But the elder swans held a meeting to discuss the lark's proposed itinerary; they had all recognized the lark by his voice, even though he produced but two or three notes – his song not yet having matured in his throat.

But while the swans were debating the matter, a terrible splashing broke out and the sky suddenly went dark. It was the grey geese taking off. They grouped in great, swarming flocks, organized themselves in long rows and disappeared into the North, their honking fading in the distance.

The starlings took off in great bunches, followed by the lapwings. The storks ascended by pairs in long spirals, nearly disappearing from sight, before they too headed north. The meeting of the swans broke out in confusion and fright; everyone wanted to take off now; all sense had left them. Every minute new flocks passed overhead, over North Africa, each bird sending greetings to the smiling blue Mediterranean below.

The Norwegian larks waited as long as possible but when their Danish bretheren left, they followed, for the sake of old friendship. Travel fever spread, so even the swallows and the cuckooes had to leave; they would at *least cross the Mediterranean before finally committing themselves to the rest of the journey.*

Night and day the birds migrated north. When they came to old haunts, flocks would swoop down to their homes, saying farewell to the flocks that had yet farther to go. In Italy the tiny rosebuds were clustered tightly on the branch; in the South of France the apple trees were blanketed with light-red blossoms. But in the far North it wass still cold; there were still patches of snow and a chill wind from the North Sea. Everyone agreed that they had left far too early, and if they ever got hold of the fool that had lured them away from the stewpot of Egypt, they would pluck him alive.

At first things looked pretty bleak back home in Norway. The snow still clung to the sides of the valleys and was a yard deep in the dark forests. But the southern wind had arrived, and with it the rain, so winter loosened its grip spasms, not peacefully, but with a snap and a groan and avalanche and a torrent. The whole land looked like a giant who was washing himself in the river, the icey waters purling over his sinewy limbs.

And thin veils of light-green descended upon the young birches on the hillsides, in the silent coves of the fjords, over the Western plains near the sea, over the moors and marshes where the cloudberries grow, and along the cracks and clefts and narrow mountain valleys. But at the top, the snowdrifts and glaciers were left untouched, as if the old mountains had not taken the trouble to tip their caps for such a fugitive fool as Summer.

And the sun shined warm and content, and the wind brought even more warmth from the south, and finally the cuckoo arrived too, the master of ceremonies, to see that everything was in order: He flew hither and thither, then landed in a young birch by the innermost cove of a fjord and proclaimed: Spring is here! Old Norway was finished at last!

And there it lay, high and brightly beautiful by the blue sea; so poor and thin, so fresh and fine and smiling as a new-washed babe.

From Alexander Kielland's "Workers".

Røynevarden, gammel husmannsplass, Suldal / *Røynevarden, an old cotter's farm, Suldal*

Den nedlagte fjellgarden Mån ligger på de grønne slettene i den vakre Fidja-dalen. Elven fra Månavatnet renner rolig forbi før den brått kaster seg utfor stupet i et fritt fall på 90 meter.

The mountain farm, Mån, now abandoned, on the green plains of the beau-tiful Fidjadalen. The river from Månavatnet runs placidly by, before it hurls itself over the 270-foot high cliff.

Månafossen, Gjesdal

Fjellgarden Mån, Gjesdal / *The mountain farm Mån, Gjesdal*

13

Laksefiske, Hofrestelva /
Salmonfishing Hofreist River, Bjerkreim

Lingvångfossen fortjener varig vern
Lingvångfossen, Hylsfjorden, Suldal, deserve to remain untouched

Utsikt fra Ramsfjell, nedlagt gard, Jøsenfjorden, Hjelmeland / *The view from Ramsfjell, an abandoned farm near Jøsenfjorden, Hjelmeland*

Vasshus, Suldal

Gammelt jærtun, Randaberg / *An old farmstead, Randaberg*

Bauta, Bø, Randaberg / *Stone monument, Bø, Randaberg*

Helge Todnem, Randaberg

Pyntekål / *Decorative bowl*

ℐORDBRUK

Det milde kystklimaet og det gode jordsmonnet har gjort Rogaland til et av de viktigste jordbruksområdene i landet. Helge Todnem, Randaberg, er nok en gang først ute med årets nypoteter.
Bertel Viste, Randaberg, bonde og torghandler, viser stolt fram sin purreløk.

ℐGRICULTURE

The temperate coastal climate and the rich earth has made Rogaland one of the most productive agricultural areas in Norway. Helge Todnem of Randaberg county is harvesting the earliest new potatoes in the country.
Bertel Viste, is a farmer and vendor at the marketplace. Here he is proudly showing us his leeks.

Bertel Viste, Randaberg

Stavanger by har få, men vakre grønne lunger. Den største av dem er Store Stokkavatn. Her kan det på godværsdager være flere tusen mennesker som er ute og nyter naturen på sin måte. Fra Eskelandsskogen, Stavanger

The city of Stavanger has only a few «green lungs», but they are quite beautiful. The largest of them is Stokkavatnet. On sunny days up to several thousand people come here to enjoy the outdoors.

𝒮TAVANGER DOMKIRKE

Stavanger Domkirke fra 1100-tallet har hatt en avgjørende betydning for byens tilblivelse og vært en hovedpulsåre i dens liv gjennom tjuefem slektsledd. Kirken ble opprinnelig innviet til Sankt Svithun og den Hellige Treenighet.
Bispestolen «cathedra» er et symbol på biskopens styrende og ledende stilling i et bispedømme, og er en gave fra stavangerhåndverkere i forbindelse med gjenopprettelsen av Stavanger Bispedømme i 1925. Prekestolen er laget av Andrew Smith i 1656. Her «Samson og løven» som bærer prekestolen.

𝒮TAVANGER CATHEDRAL

The Stavanger Cathedral from the 1100's played important role in the establishment of the city, and it has been the city's «heart» during the last 25 generations.
The church was originally dedicated to St. Svithun and the Holy Trinity.
The bishop's chair «Cathedra», a symbol of the Bishop's governing and leading position in the bishopric, was a gift from the craftsmen of the city in 1925, on the occasion of the creation of the bishopric in Stavanger. The pulpit was made by Andrew Smith in 1656. «Samson and the Lion» supporting it.

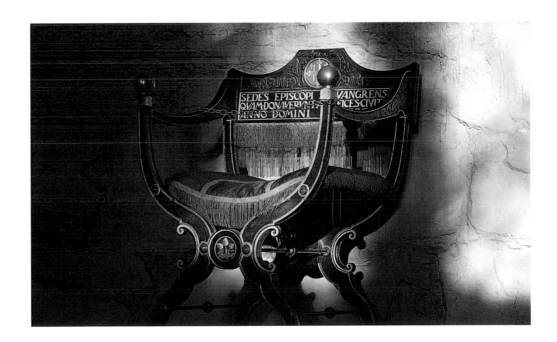

Evangelisten Lukas er symbolisert ved en okse med vinger,
Fransønepitafiet, Stavanger Domkirke.

*The evangelist Luke is symbolized by a bull with wings,
detail of the Fransøn epitaph, Stavanger Cathedral.*

«Kristus bærer korset», Fransønepitafiet, Stavanger Domkirke / *«Christ carrying the Cross», Fransøn epitaph, Stavanger Cathedral.*

Orrevatnet, Klepp / *Looking towards Orrevatnet, Klepp*

Sommer

Summer

No er eg heime. No er eg der eg er ifrå. Denne jordi hev født meg og ali meg. Kva skulle eg ut etter? Her ligg garden min. Som han låg då eg var her sist.

Trygg sit eg då her på Hlidskjalv og rår yvi riket mitt. Der ute ollar havet, alltid veldigt og ungt. Men attum meg hev eg fjell so gamle som verdi. Store er dei ikkje, men røynslene hev dei. Meir enn andre fjell; for dei hev havt ein strengare lagnad. Skavne og slipte gjennom årmillionar av fimbulvinteris frå polhav og frosne innland slo dei seg igjennom når andre fjell hadde vorti malne til sand og baka til leir. Toppar og svære akslir miste dei; no stend dei kløyvde og sundsprengde og underleg laga som borgir med brotne tak og skeive kuplar og ryggir; men dei stend. Og av bergslipingsauren blanda med havsand laga Jæren seg og vart til ei Grønlandsstrand, der ukjende Nordsjøfolk fikta med kval og kvitbjørn i havisen gjennom heimsaldrar.

No er her rolegt. Jæren er bygd; og jærbuen stræver med stein og lyng i staden for med kval og havis.

Meir og meir glad vart eg i sudjærsheidane au no. Det er milevide lyngmarkir og utslåttir og torvmyrar, med her og der ut imot bygdine ein einsleg gard eller plass. I rolege breide drag stig dei sudyvi upp mot Synesvarden, den eg so vidt skimtar her; so kjem lengst sud Ognafjell, og lengst sudvest sjøen.

Men korkje fjell eller sjø ser eg herifrå på den leidi; og der er Jæren fullkomin; berre heid og himil, berre lyng og luft. Ein villheim for seg sjølv er dette. Det kan vanka ein skyttar der so ender og gong, eller ein lyngslåttar; til sine tidir kjem ei torvkjerre skranglande med si lange grind; ein heiagjædar driv ikring med smalen sin; det skvett ein hare her og der; ein lóm eller ei ørn flyg; ein hegre stend og drøymer attmed ei tjørn; elles ligg alt som i trollsvevn.

Her hitpå Undheimsleidi er store utslåttir, med høyløur uppetter all stad. Mykje høy veks det ikkej her på udyrka mark. Men det er godt, friskt vallhøy.

Rett ned framfyri meg breider seg mitt land. Og lengst ute, frå Tungeneset til Ognafjell, blenkjer sjøen. Med sin mjuke blålìt bleikt skinande i solglansen. Fagert, fagert er havet, det på jordi som mest er himilen likt. Ein kjem som burt i den store ro og den bleike glans; driv av i vindsveimde draumar. Småe stillfarande båtar ligg her og der og glid. Søv. Kvar skal dei av? Fort gjeng det ikkje med deim. Men det er ikkje lengi stilt på Jærlandshavet. Dei kjem nok fram.

Sjeldan er sjøen for Jæren so ven som i dag, solblank og blid, lat og trygg; det må vera på slike stille fyrisumardagar. Då låg eg stundom i sjøen der nede og lauga meg, under ei sol so sterk at sjøen fekk ein lunk; og kuvungane kvitna upp-etter dei varme strandsteinane som fine småe lambedriftir. Men annarleis hugsar eg sjøen frå haustdagar og vintertid.

For deg høyrdest det vel utrulegt at me her på denne fæle stygge Jæren hev kunstmålarar. Kvar sumar kjem dei. Færre og fleire. Ikkje berre ungdomar som skal temja seg upp; nei, folk av våre beste: trur du meg ikkje, kan eg døyve deg med eit namn som Eilif Petersen. Og det som er det utrulege; dei målar ikkje berre sjø og strand. Ær og bruir, engir og låvar, bondegardar og alt som er vert emne for kunst; og læt seg bruka til kunst, endå det er frå Jæren. Ja um eg skal våge meg fram med det alt: sjølve svarte torvmyrane vert måla. Med torv og alt. Nyskori torv, reist torv, røykt torv, stekt torv, alt er godt nok; alt er vent.

Jamvel ei dame av den fine Kiellandsætti held seg ikkje for god til å gå i torvmyri og måle. Og torvmyri vert poesi, so svart ho er. Ven vert ho. Noko som er til å sjå på og hyggje seg i. Me jærbuar gjeng og glor på dette og skjek på hovudi; tru dei vert reint galne no?

Men so er det så forunderlegt. Me lyt vedkjannast, at både sjøen, og det um han gjeng stygg, og strandi, og det om det so er berre drivsanden, og sjølve lyngheidi, ja tilogmed torvmyri, – forsyne meg vert ikkje sjølve torvmyri ven'e. Ja ein kjem opp i mangt. Dæ sko nogen ha funne på slikt for et tju' år sidan!

Frå Arne Garborgs «Knudaheibrev»

Now I'm home. Now I'm back where I came from. Jæren. This soil gave birth to me and nurtured me. Why did I ever leave it? This is my farm. Just as it was when I last was here.

Secure, I sit here at Hlidskjalv and preside over my kingdom. Out there the sea roars, forever hughe and new. But behind me I have mountains as old as the world itself. They are not vast, yet they have vast experience. More than most mountains have, because they have suffered a sterner fate. Crumbled and worn through thousands of millenia by harsh winter ice from the Artic Sea and frozen inland, they broke through when other mountains would have been ground to sand and baked to clay. They have lost their high peaks and massive shoulders; they stand cleft and cracked now – and strange, like castles with broken roofs and domes and crooked backs; yet still they stand. And out of the gravel and the ocean sand, Jæren arose, like a thin shore of Greenland, where unknown North Sea folk fought whales and polar bears on the ice-bergs throughout the ages.

It is quiet here now. Jæren is built, and the Jær-folk struggle against rocks and heather instead of whales and ice.

I grow more and more fond of the heaths of South Jæren too. Hills of heather miles wide, patches of grass to harvest, peat bogs, and a farm house or two down by the villages. In calm succession the rolling hills rise up to the look-out point, which I can just barely see from here, while the Ogna hill is farther to the south, and the sea is to the Southwest.

But I cannot see the hill nor the sea now; and here Jæren is perfect: just heath and heaven, heather and air. A whole wild world, this place, unlike anything else. Once in a while a hunter wanders by to scare up the geese, or a grass-cutter comes to harvest what he can find of fodder. Or a peat-waggon comes rattling by, or a shepherd boy herds his flock, a hare skitters across the way, a loon or an eagle soars overhead, or a heron stands dreaming by a pond. All else lies as if in a troll-sleep.

Out here by Undheim there are several large, outlying fields, and many hay-sheds. There is not a lot of *hay to be had here, but the unplowed soil yields fresh, good fodder.*

My kingdom is spread out before me. Farthest out, from Tungeneset to the Ogna hill, the sea sparkles, soft, pale-blue in the sunlight. Beautiful, beautiful is the sea; of all the wonders of the earth, the sea is the most heaven-like. You can get lost in the vast calm and the pale shimmer – and drift in free-ranging dreams. Small boats are scattered about, gliding serenely across the water. Sleeping. Where are they going – so slowly? The silence is broken. They will arive at their destination.

You will probably be surprised to hear that we have some landscape artists here at ugly old Jæren. Every summer they come here. Not only young aspiring painters who want to improve their skills, but some of the best artists we have. If you do not believe me, then let me mention a name like Eilif Petersen. And what's more, they don't just paint seascapes. Rivers and bridges, pastures and barns, farms and nearly everything else around here has become subject for their art – and turns into art, even if it does come from Jæren.

And – dare I mention it? – even the black peatbogs have been painted, peat bricks and all. Newly cut peat, stacks of peat, dried peat, smoked peat – all of it is good enough, beautiful enough.

Even a lady of the illustrious Kielland family doesn't think she is too high a personage to trudge across the peatbogs to paint. And the peatbogs become poetry, in all their blackness; beautiful, admirable and full of joy. We Jær-folk stop and look and shake our heads: Have they gone crazy?

We have to admit that the sea – even when the waves are blown black – and the strand – even it is just piles of drifting sand – and the heathered moors – yes, even the peatbogs! – are beautiful. Will wonders never cease? They should have tried to tell me that twenty years ago!

From Arne Garborg's "Letters from Knudaheio".

Bjørheimsvatnet, Strand

Frafjord, Gjesdal

Vistnes, Randaberg

Varhaug gamle kirkegård, Hå / *The old churchyard at Varhaug, Hå*

Ved Håelva / *By the Hå river*

Laksefiske ved munningen av Håelva, Hå / *Salmon fishing at the mouth of the Hå river, Hå*

Gloppedalsura

Jæren – tørrlagt havbotn / *Jæren – land reclaimed from the ocean*

Røyslandsvatnet, Bjerkreim

Jæren

Ritland, Suldal

Fjordingen, Vestlandshesten / *A Fjording, a special race of horses from Western Norway*

GAMLE SKUDESNESHAVN

Sjøfarten har gjennom årtusener satt sitt preg på Rogaland. Skudeneshavn var rundt 1800-tallet sentrum for det rike sildefilsket og den gamle bydelen, som er en av de best bevarte trebebyggelser i Norden, ble til i denne tiden.

OLD SKUDENES HARBOR

Maritime activities have through the ages shaped life in Rogaland. The old harbor at Skudenes was the center of the rich herring industry during the last century, and the older parts of the town were built then.

Jekten «Anna af Sand» er et av Norges eldste flytende fartøyer / *The cargo boat «Anna of Sand» is among Norway's oldest, sea-worthy boats.*

Sandve havn, Karmøy / *Sandve Harbor, Karmøy*

Smeasundet, Haugesund / *Smea Sound, Haugesund*

Jærkysten har 25 km med sandstrender. Sola Strandhotel, Sola / *The coast of Jæren has 15 miles of sandy beaches. The Sola Strand Hotel, Sola.*

Tre på Jærkysten formet av naturkreftene / *A tree formed by the winds at Jæren.*

Kjør og Ferkingstadøyene er de sørligste steder i Norge der Lundefuglen hekker. / *Kjør and Ferkingstadøyene are the southern-most places in Norway where puffins nest.*

Kystlandskap, Randaberg / *Coastal landscape, Randaberg*

UTSTEIN KLOSTER

Utstein Kloster ligger helt ut mot havet på vestsiden av den frodige Klostervågen som har åpen sjøvei både nordover og sørover. Utstein nevnes første gang i Torbjørn Hornkloves dikt om slaget i Hafrsfjord, se s. 131.

Snorre forteller at da Harald Hårfagre ble gammel, var Utstein en av de kongsgårdene han bodde på. Kongsgården ble gitt til kirken på 1200-tallet og var augustinerkloster, viet til den romerske martyr St. Laurentius, fram til reformasjonen.

I dag er det Norges eneste fullt restaurerte middelalder-kloster. Både naturen og klosteranlegget, med den vakre kirken, innbyr moderne pilgrimer til en rast i en travel hverdag med gode muligheter for stillhet og ettertanke.

UTSTEIN KLOSTER

The Medival monastary at Utstein is just a stone's throw from the sea, by a fertile inlet that opens onto a major north-south sea-route. Utstein is mentioned in print for the first time in Torbjørn Hornklove's poem about the battle at Hafrsfjord, see page 131.

Snorre tells us that Harald the Faihaired–victor of the battle at Hafrsfjord and the first king of a united Norway–lived at the King's mansion at Utstein, among other places, in his old age. The mansion and the surrounding farmlands were given to the church in the thirteenth century, when the main building was turned into an Augustinian monastary dedicated to the Roman martyr St. Laurentius. It was a working monastary until the Reformation.

Today it is Norway's only fully-restored monastary. The countryside surrounding the monastary as well as the beautiful church and other buildings offer modern pilgrims the chance to get away from their daily hustle and bustle and enjoy a calming, contemplative silence.

Kirken med hovedinngangen og den moderne vestfløyen.
The church with it´s main entrance and it´s modern west wing.

Kirkeskipet var en åpen ruin fram til restaureringen i 1950 årene.
The main seating area was an open ruin,
until it was renovated and restored in the 1950´s.

Sørbø kirke fra 1100-tallet er en av de mest stilrene kirkene i Norge. Rennesøy
The church at Sørbø, from the 12th century, is one of the best examples
in Norway of this architectural style. Rennesøy

 EIT EVIGT SEKUND

Du er Gud over år og tider.
Mine dagar er korn i di hand.
Må dei berast av Andens vinddrag
og slå rot i ditt åkerland.

Må dei spira i vår og varme,
vinna styrke ved stormharde slag,
vera mogne når korn og agner
du skal skilja på domedag.

Og når alt som er tid tek ende,
må eg då i eit evigt sekund
vera grøde blant førstegrøda,
hausta inn frå din åkergrunn.

Alfred Hauge

Steinkorset på Kvitsøy / *The stone cross at Kvitsøy*

IN A SECOND FOREVER

You are God over years and ages.
My days are seed in your hand.
Let them be borne on a gust of your Spirit
And take root in your fertile land.

Let them grow in spring and in summer
Grow stout though winds howl and bay
To be ready when you blow the chaff off
The wheat on the judgement day.

And when time itself comes to end
Let me be in a second forever
The first fruit of the bountiful harvest
Gathered in from your fertile ground.

Alfred Hauge

St. Olavskirken ca. 1250, Avaldsnes Karmøy. Hovedsete for Vikingkongen.
St. Olav's Church, ca. 1250. Main home for the Viking kings for centuries

Brudeferden i Suldal / *Bridal procession at Suldal*

ℬRUDEFERDEN I SULDAL

Suldal har tatt godt vare på den gamle bygdekulturen. Hvert år arrangeres det Olsokstevne på museumsgarden Kolbeinstveit.

ℬRIDAL PROCESSION AT SULDAL

Suldal has kept much of its old village culture. Every year the community arranges a St. Olaf's Day celebration at the museum farm Kolbeinstveit.

Brudedansen / *Bridal dance*

Presten og prestefrua / The Vicar and his wife.

Leik / *Folkdance*

Sandsfjorden, Suldal

Hylsfjorden, Suldal

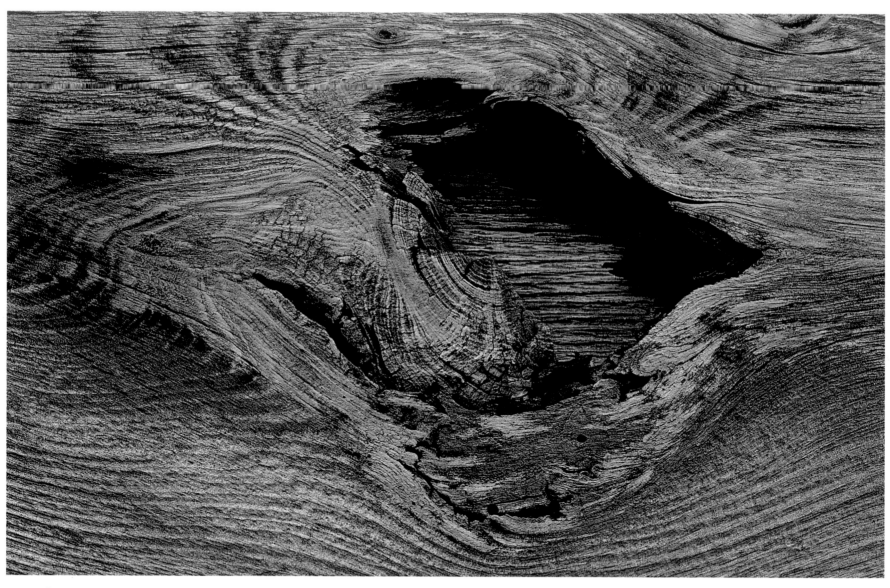

Kvist, Håvistøl, Suldal / *Knothole, Håvistøl, Suldal*

Håvistøl, Suldal

Stavanger Turistforening har et rutenett med mange turisthytter i Ryfylke-heiene. Den betjente Stranddalshytta er den vakreste og mest tradi-sjonsrike.

The Stavanger Tourist Association provides a map showing all the hiking trails and the many open cabins in Ryfylke. The cabin at Stranddal is among the most beautiful.

Stranddalsvatnet, Suldal

Preikestolen, Forsand, verdenskjent klippeformasjon / *The Pulpit Rock, Forsand. A world-renowned rock formation.*

Mot Øvre Espedal, Forsand

Lysefjorden fra Lysebotn. Til venstre Kjeragplatået som kaster seg 1000 meter ned mot Geitaneset.

Lyse Fjord as seen from the head of the fjord. At the left is the great granite plateau Kjèrag, over 3000 feet above the fjord.

DEN MYSTISKE LYSEFJORDEN

«Lysefjorden er det forferdeligste av alle havets korridorskjær», skriver den franske forfatteren Victor Hugo i «Havets arbeidere». Hans livfulle og mystiske skildring avslører riktignok at han ikke har vært her. Men Lysefjorden fortjener sin berømmelse. Klippeformasjonen «Preikestolen» er mest kjent, men lenger inne kaster det mektige Kjeragplatået seg 1000 meter loddrett ned i fjorden.

RØSSDALEN - MED SUS AV EKTE VILLMARK

Røssdalen er Rogalands mest bortgjemte og uberørte dal, og vil bli en viktig del av den planlagte Frafjordheiene Nasjonalpark. Plante og fuglelivet er usedvanlig rikt, og den gamle skogen får deg til å tenke på tusser og troll. Her finner du også Fossagjuvet, Rogalands eget Jutulhogg.

Røssdalen, Forsand

THE MYSTICAL LYSEFJORD

"Lyse Fjord is the most treacherous of all the narrow channels of the sea" wrote Victor Hugo in "Workers of the Seas". His lively and mystical portrait of the fjord shows, however, that he had never been here. But Lyse Fjord deserves it's fame. The cliff Pulpit Rock is the best known formation, but nearer the head of the fjord is the massive granite plateau Kjerag. It towers over 3000 feet above the fjord.

RØSS VALLEY – PRISTINE WILDNESS

The Røss Valley is Rogaland's most secluded and untouched wilderness, and it will be an important part of a projected national park. The valley teems with the plants and birds, and the old-growth forest makes you think of trolls. Here we see the canyon Fossagjuvet.

Kjeragbolten, 1000 meter over Lysefjorden, Forsand
Kjeragbolten, 3000 feet above the Lyse Fjord, Forsand

Kvanndalen, Funningslandsheiene, Hjelmeland

FUNNINGSLANDSHEIENE

Funningslandsheiene er et av de få områdene der et stykke Rogalandsnatur er vernet fra fjord til høghei.

THE HEATHS AT FUNNINGSLAND

The heaths at Funningsland are one of the few areas where a cross-section of Rogaland's nature is preserved from the sea to the highlands.

Multeblomst / *Cloudberry flower*

Utsikt over Holmavatnet, Hjelmeland

Stakkstøl, Hjelmeland

Fra Rennesøy mot Stavanger / *From Rennesøy looking towards Stavanger*

Randaberg

$\mathcal{S}$ULDALSLÅGEN –
VILL OG FORFØRENDE»

Om vinter en underviser franskmannen Marc Sourdot i lingvistikk ved Sorbonne, om sommeren fisker han laks i all verdens lakseelver og lager reportasjer i fiskebladet «La Pêche.» Han karakteriserer Suldalslågen på ekte fransk maner: «Vill og forførende».

Marc Sourdot med dagens fangst / *Marc Sourdot with his day's catch*

$\mathcal{T}$HE SULDAL RIVER –
"WILD AND SEDUCTIVE"

During the winter months, Marc Sourdot teaches linguistics at the Sorbonne, and in the summer he fishes salmon all over the world and writes about in the fishing magazine «La Pêche». When asked what he thinks of the Suldal River, he replies – like a true Frenchman – «Wild and seductive».

Nærbilde av Salmo Suldal / *A close-up of Salmo Suldal*

Fra Figgjo, Sandnes, mot Bråsteinsvatnet med Orrevatnet i horisonten / *From Figgjo, Sandnes, viewing towards Bråsteinsvatnet and Orrevatnet in the horizon.*

Høst

Autumn

Her ute ved de vide Aarrevann går det et stort trekk av grågjess; og i uvær kan det hende de ligger i tusenvis på vannet — og hviler og venter.

Men selv om flokken flyver forbi, blir det alltid uro og mudder, når de kommer ut over Aarrevannet, rekkene brytes, en stund blir det hele en forvirret klump, mens alle sammen skriker og snadrer i munnen på hinannen. Først langsomt ordner de seg igjen sydover i de lange linjer, inntil de forsvinner i den grå høsthimmel som tynnere og tynnere tråder, og den siste lyd følger dem med nordenvinden.

Her har vi også hatt syndflod i det siste. Vannene og elven er steget opp til de høyeste vintermerker. Men jordbunnen på denne velsignede plass er så sandig at veier og marker holder seg faste og tørre, idet væten rinner vekk og forsvinner i et øyeblikk.

Så har her da også blåst av all kanter og krefter i tre uker. Vi peser oss frem over sletten og tumler omkring mellom husene, hvor vindkastene ganske utformodet kommer farende med et smell. Fiskestangen har vært tung å bære mot vinden, og vannet i elven har stått i været som røk.

Og havet, hvitt av vrede, begynner de store tunge bråt langt ute på mange favner vann, ruller dem innover stranden, skyller over store strekninger og tar det tunge marehalm og det vi mellom oss kalder strandkål —, alt det som hadde grodd i sommer og samlet flyvesand omkring seg til små befestninger — alt det har havet slikket ganske glatt igjen og satt sine gamle grenser høyt oppe i sand-kulene, hvor de er mektige nok til at holde vinteren ut.

Nu har jeg vært her i fire måneder på dagen og sett kornet fra det var lysegrønne spirer, inntil det nu er vel berget i hus. — hvor der var plass. For så svær har avlen vært — ikke i manns minne har her vært slikt år ved denne kyst —, at rike kornstakker står ved mange gårder, og løene er stoppet til under mønet.

Innover land står ennu kornet ute; det gulner mellom markene, som her er grønne og friske som midt om våren. Mange vakre dager har vi hatt; men høsten er dog Jærens tid. Fordi landskapet til ingen kant stiger høyt opp, ser man alltid så meget himmel med; og uten at man egentlig vet av det, betrakter man fullt så meget de praktfulle vekslende skyer som det fine landskap, som viker så langt tilbake og aldri trenger seg fram.

Og den hele dag under storm og byger omskifter høsthimmelen — som et lidenskapelig opprør av vrede og trusler med forsoning og løfter, med sorte opptrekk, solglimt og regnbuer, inntil alt samler seg mod aften ute over havet mot vest.

Da skytes sky foran sky med dype gløtt imellom, hvor det luer av uværsgult. Til siden står de store boblende stormskyer som rammer omkring, mens overalt springer gule striper og røde stråler, som mattes av og forsvinner og trykkes ned imot havet, inntil det bare er en liten sykelig stripe gult lys langt ute.

Da velder mørket opp av havet i vest og glir ned fra fjellene i øst, legger seg til ro på de sorte lyngheier og brer uhygge over de vide Aarre-Vann, som vånder seg med hulk og sukk mellomem siv og sten. Et uhyre tungsinn stiger opp og skyller over, mens den årvåkne brenning — alltid trofast — brummer sin vaktmanns-sang i den lange natt.

Fra «Høst» av Alexander Kielland

Out here by the wide Aarre lakes the grey geese gather for their migration; and when the weather is stormy, up to thousands of them sit in the water, resting up, waiting.

But even when a flock just flies on by, there is always a lot of commotion when they get to the lakes here. They break rank, the flock turns into an unruly crowd, all of the geese honking and squawking at the same time. After a while, they form long lines again and fly away into the autumn grey Southern skies, like long threads that become fainter and fainter as they dissappear, their dying sound covered by the North wind.

Of late we have been deluged. The lakes and the river are at their winter high-marks. But the soil here at this blessed place is so sandy that the roads and fields stay fairly dry, the water runs off almost immediately.

The wind has been raging from all directions the last three weeks. We drag ourselves with effort over the fields and stumble around between the houses, where the gusts suddenly come up with no warning. Even carrying a fishing pole against the wind is a chore, and the river water shoots up like smoke.

The sea, white with wrath, starts its great waves far out, at a depth of many fathoms, then it rolls them at the shore where they explode and wash out the marram and all the other plants that have grown up during the summer and accumulated little piles of sand around themselves like small fortresses. Everything has now been licked clean by the great tongue of the sea, which has won back its old boundary markers at the top of the sanddunes.

I've been here exactly four months now, and so I've watched the grain in the fields grow from light-green shoots, watched as it was harvested and stored away in the barns and granaries – when there is enough storage space for it. For the crop this year has been the best in many, many years. Rich sheaves of grain are still standing out in the fields on several of the farms, and the barns are filled to the roofs.

Farther inland they haven't begun the harvest yet; the fields have turned to gold, while here they are as fresh and green as if it were spring. We have had quite a number of lovely days, autumn is Jæren's special season. Because there are no high mountains in any direction, you can always see a lot of sky, and you start looking at the majestic, ever-changing clouds as often as the landscape, a landscape that stays at a comfortable distance, never crowding in.

And all day long, during storms and flurries of rain, the sky keeps changing – like an impassioned uproar marked by anger and threats, reconciliation and promises; storm clouds draw up again, then come glimpses of sun and rainbows; until everything collects itself over the ocean in the West in the calm evening.

Then the clouds crowd together, separated by flashes of yellow light in the distance behind them. At the sides are the hughe, roiling storm clouds, and stripes of yellow and red sunlight break through, fade and are finally pushed down against the horizon, until they become a thin, emaciated stripe of pale yellow light far away.

Then the darkness wells up in the sea in the west and slides down the mountains in the East, descending, silently, on the black heathered hills and spreading an eerieness over the Aarre lakes – which sob and sigh among the reeds and rocks. An enormous melancholy gushes forth, while the waves – ever faithful – mumble their watchsman's song throughout the long night.

From Alexander Kielland's "Autumn"

Hålandsvatnet, Randaberg

Bleskestad, Suldal

Vadalsvatnet, Bjerkreim

Indre Vinjavatn, Bjerkreim

Steingjerde, Klepp / Stone fence, Klepp

Øyrtangen, Hå

Ogna, Hå

Træ'e, Time. Husmannsplass fra 1780 / *Træ'e, Time. Cotter's house from 1780*

Sandnes Havn / *Sandnes Harbour*

Stavanger Havn / *Stavanger Harbour*

Hå gamle prestegard er et tradisjonsrikt kultursentrum på Jæren.
Mot Obrestad Fyr, Hå.

The old parsonage at Hå is a cultural center in Jæren with a lot of
tradition. In the background, the lighthouse at Obrestad

Jærsmale på hjemmebeite / *Sheep on home pastures*

Storamos, Høgjæren

Holmaholen, Gjesdal

TIL DEG DU HEI

Til deg, du hei og bleike myr
med bukkeblad,
der hegre stig og heio flyr,
eg gjev mitt kvad.

Til deg, du visne lyng om haug,
der draumar sviv,
eg gjev min song om dimd og draug
og dulde liv.

Arne Garborg

TO YOU PALE HEATH

To you pale heath and moor,
with waving reeds,
where cranes fly and egrets rise,
I give my song.

To you, withered heather on the hill
where dreams hover,
I give my song of dwarfs and faeries
and hidden lives.

Senhøstes legger den lave solen et gyllent skjær over bøkeløvet på bakken og setter høstfargene i brann. Vålandskogen, Stavanger.

The low sun of late fall puts a golden glow over the beech leaves on the ground and ignites the autumn colors. Våland, Stavanger

Mosvannsparken er naturperlen nærmest Stavanger sentrum.

Mosvatnet is the natural park nearest the city of Stavanger

Laksefiske, Suldalslågen, Suldal / *Salmon fishing, Suldal River, Suldal*

Rennende vann / Running water

Geit, Åbødalen, Sauda / *Goat at Åbødalen, Sauda*

Åbødalen, Sauda   Melshei, Sandnes

Høstfarger under Skute, Suldal / *Fall colors at the foot of Skute, Suldal*

Fra Austre Åmøy, Stavanger mot Askje, Rennesøy og Bokn
From Austre Åmøy, Stavanger, direction Askje, Rennesøy and Bokn

Helleren, Jøssingfjord, Eigersund. De siste fastboende, som flyttet herfra i 1920-årene, var siste ledd i en minst 4000 år lang bosetning
Helleren, in Jøssing Fjord, Eigersund. The last people to live here left in the 1920's, thus ending 4000 years of inhabitance.

Frøylandsvatnet, Klepp

Vinter

Winter

Når sneen faller efter storm – tett, tung og nøyaktig – utfyller fordypninger, jevner spisser og skarpe kanter, da er det underlig å tenke seg, at dette er det samme vann, som kan risle og hoppe, skumme som røk i fossen og finne vei med modige strømbølger ut i det frie blå hav.

Og der ute – når sommersolen lagsomt og sent skjules bak de siste skinnende striper ytters i vest, hvor havets sporfrie vei krummer seg jorden rundt, *der* sanser du ikke lett at de friske gullkantede bølger, hvor fisken leker og livet gror, at dette er det samme vann som kan ligge og trykke hustakene som tung død sne, bøye trær og grener og stenge veiene fra mann til mann.

Da blir det ganske stille i de store skoger. All lyd knappes av og innsvøpes i den snefylte luft, som ikke kan svinge, – en tung, bløt stillhet som i tykke dyner; og bekkens klunk under isen som kommer i dunkle slag som de dype toner fra en spilledåse under hodeputen.

Men lette og lydløse som forsiktige spøkelser daler de hvite filler – store når de kommer nær og mindre oppover, inntil øyet stanser under en lav, gråprikket himmel, som ligger like ned på trærne.

Oppe i fjellene, hvor stormen hadde blåst flekker bare og rystet den høye lyng, la sneen nye hvite tepper, hvis folder hang utfor de bratte skrenter og bølget hen over fjellmarken.

Men lenger nede mot dalen brøt skogen igjennom og reiste seg med sne i håret – stille og mørk rundt omkring markene i dalbunnen, hvor alt var hvitt unntagen de lumske sorte steder i elven, som aldri frøs.

Fra Alexander Kiellands «Sne»

When the snow falls after a storm – thick, heavy and with great precision – filling in the recesses, rounding off the points and sharp contours – then it is strange to remember that this is the same water that can ripple and run, froth in the waterfall and find its way in brave currents to the blue sea.

And out there in the West, where the summer sun slowly hides behind the last glowing stripe, where the ocean's smooth band curls around the earth, there you cannot easily remember that the fresh, gilt-edged waves – where fish jump and life grows – is the very same water that lies thick on the roofs of houses as dead, heavy snow, bends the saplings and branches and blocks the roads between men's houses.

Then a hushed silence falls on the great forests. All sounds are nipped in the bud and wrapped in the snow-filled, dulled air – a heavy, soft, down-filled silence; and the gurgle of the streams beneath the ice becomes a dull pulse like the muffled tones from a musicbox under your pillow.

But lightly, and as soft as timid ghosts, the blanched wisps float down; big when they get close, but smaller and smaller higher up against the heavy, grey-dappled sky suspended just above the three-tops.

Up in the mountains, where the storm had blown patches of ground bare and had shaken the tall heather, the snow lay like white blankets with folds hanging over the steep cliffs and covered like a rumpled comforter the mountain fields.

But farther down in the valley the trees had broken through and stood erect, with snow in their hair – silent and dark in the fields at the bottom of the valley, where everything was white, except for the treacherous black spot on the river, where the water never froze.

From Alexander Kielland's "Snow".

Vigdel, Sola

Ispytt, Vistvik, Randaberg / *Frozen puddle, Vistvik, Randaberg*

Havet

Intet er så rommelig som havet, intet så tålmodig. På sin brede rygg bærer det lik en godslig elefant de små puslinger, der bebor jorden; og i sitt store kjølige dyp eier det plass for all verdens jammer. Det er ikke sant at havet er troløst; ti det har aldri lovet noe: uten krav, uten forpliktelse, fritt, rent og uforfalsket banker det store hjerte – det siste sunne i den syke verden.

Og mens puslingene stirrer utover, synger havet sine gamle sanger. Mange forstår det slett ikke; men aldri forstår to det på samme måte.

Ti havet har et særskilt ord til hver især som stiller seg ansikt til ansikt med det.

Det smiler med blanke, grønne småbølger til de barbente unger som fanger krabber; det bryter i blå dønninger mot skipet og sender den friske, salte skumsprøyt langt inn over dekket; tunge, grå sjøer kommer veltende mot stranden, og mens trette øyne følger de lange, hvit-grå brenninger, skyller skumstripene i blanke buer henover den glatte sand. Og i den dumpe lyd når bølgen faller sammen for siste gang, er der noe av en hemmelig forståelse; hver tenker på sitt og nikker utover – som var havet en venn der vet det hele og gjemmer det trofast.

Men hva havet er for dem der bor langs stranden, får ingen vite; for de sier ingenting. De lever hele sitt liv med ansiktet vendt mot sjøen. Havet er deres selskap, deres rådgiver, deres venn og deres fiende, deres erverv og deres kirkegård. Derfor blir forholdet uten mange ord, og blikket der stirrer utover, veksler etter den mine, havet setter opp – snart fortrolig, snart halvt redd og trossig.

Men ta så en av disse strandboere, flytt ham langt inn i landet mellom fjell i den yndigste dal du kan finne; gi ham den beste mat og de bløteste senger. Han vil ikke røre din mat, ikke sove i sengene; men uten å se seg om vil han klatre fra fjell til fjell, inntil han langt – langt ute skimter noe blått han kjenner. Da går hans hjerte opp, han stirrer mot den lille blå stripe som glitrer der ute, inntil det begynner å glitre blått alt sammen; men han sier ingenting.

Fra Alexander Kiellands «Garman & Worse»

The Ocean

Nothing is so boundless as the sea, nothing so patient. On its broad back it bears, like a good-natured elephant, the tiny mannikins which tread the earth; and in its vast cool depths it has place for all mortal woes. It is not true that the sea is faithless, for it has never promised anything; without claim, without obligation, free, pure, and genuine beats the mighty heart, the last sound one in an ailing world. And while the mannikins strain their eyes over it, the sea sings its song. Many understand it scarce at all, but never two understand it in the same manner, for the sea has a distinct word for each one that sets himself face to face with it.

It smiles with green shining riples to the barelegged urchin who catches crabs; it breaks in blue billows agains the ship, and sends the fresh salt spray far in over the deck. Heavy leaden seas come rolling in on the beach, and while the weary eye follows the long hoary breakers, the stripes of foam wash up in sparkling curves over the even sand; and in the hollow sound, when the billows roll over for the last time, there is something of a hidden understanding—each thinks on his own life, and bows his head towards the ocean as if it were a friend who knows it all and keeps it fast.

But what the sea is for those who live along its strand none can ever know, for they say nothing. They live all their life with face turned to the ocean; the sea is their companion, their adviser, their friend and their enemy, their inheritance and their churchyard. The relation therefore remains a silent one, and the look which gazes over the sea changes with its varying aspect, now comforting, now half fearful and defiant. But take one of these shore-dwellers, and move him far landward among the mountains, into the loveliest valley you can find; give him the best food, and the softest bed. He will not touch your food or sleep in your bed, but he will clamber from hill to hill, until far off his eye catches something blue he knows, and with swelling heart he gazes towards the little azure streak that shines far away, until it grows into a blue glittering horizon; but he says nothing.

From Alexander Kielland's "Garman & Worse"

Hellestø, Sola

Bø, Randaberg

Håelva, Nesheim, Hå

Jæren i vinterdrakt / *Jæren in its winter garb*

ℰG TENNER EIT FYRLYS

Eg tenner eit fyrlys for alle som elskar
for dei som ror i ring og aldri finn same rytmen
for dei som berre lyder til signal
frå framande farty
for dei som støytte på grunn i medvind
for dei som styrer etter stive sjøkart
utan å ense måkars mjuke flog
for alle som kjenner dei sju hav
og aldri lodda djupa i sitt eige hjarta

eg tenner eit fyrlys
for all villfaren kjærleik
så vegen til det lova landet
blir synleg i natt

Åse Marie Nesse

Skudenes Fyr, Karmøy / *Lighthouse at Skudenes, Karmøy*

𝒯 LIGHT A LANTERN

I light a lantern for all the lovers
for those who row in circles,
never getting their strokes quite right
for those who only hear the signals
of foreign ships
for those who ran aground with the wind behind them
for those who navigate by square sea-maps
not noticing the soft flight of gulls
for those who know the seven seas
yet never sounded the depths of their own hearts

I light a lantern
for all love gone lost
so the route to the promised land
will shine in the night.

Åse Marie Nesse

Revtangen, Klepp

Tungenes Fyr, Kultursentrum, Randaberg / *Lighthouse at Tungenes,*
Randaberg. Now used for cultural activities

Vistnes Fyr, Randaberg / *Warning light at Vistnes, Randaberg*

Geitungen Fyr, Karmøy / *Lighthouse at Geitungen, Karmøy*

Sauda

Kong Harald Hårfagre samlet Norge etter slaget i Hafrsfjord i 872
King Harald Hairfair united Norway after the Battle of Hafrsfjord in 872

Jernaldergården, Ullandhaug, Stavanger
Ullandhaug Iron Age Farm, Stavanger

Haugastølkvelven, Suldal

Mot Reinsnuten, Suldal

Nerheimskleivane, Suldal

Mot Snønut, Suldal

Mot Gullingen, Suldal

Skotifossen, Suldalslågen, Suldal / *The Skoti Falls, Suldal River, Suldal*

Høylandsvatnet, Time

Sverd i fjell, av Fritz Røed. Reist til minne om slaget i Hafrsfjord i 872, der Harald Hårfagre samlet Norge til ett rike.

«Swords i Rock», by Fritz Røed. Erected to commemorate the Battle of Hafrsfjord in 872, in which Harald Hairfair united Norway.

SLAGET I HAFRSFJORD

Høyrde du kor hardt dei i Hafrsfjord stridde,
kongen av kjæmpeætt med Kjotve den rike?
Skip kom austafrå, stundande på ufred,
med gapande hovud og gravne plater.

Dei freista den framdjerve, han som flukt dei lærde,
herren over austmenn, som bur på Utstein.
Ut med skipa han lagde, då strid han venta,
hogg mot skjoldar hamra, før Haklang stupte.

Bak lét dei blenkja, blanke skjoldar,
steinar regnde over redde fiendar.
Kaksane var fælne, flaug over Jæren
heim or Hafrsfjord, huga på mjød-drykk

Skalden Torbjørn Hornklove

Småkongen «Kjotve den rike» fra Hafrsfjordslaget, fjellformasjonen, Ytraberget, Sola.
The chieftain Kjotve from the battle of Hafrsfjord. Rock formation, Ytraberget, Sola.

THE BATTLE OF HAFRSFJORD

Hast thou heard, where yonder, in Hafrsfjord, there fought
This king of mighty race against Kjotve the Rich?
Ships came from east-way, all eager for battle,
With grim gaping heads and rich carved prows.

They egged on the valiant king of the Eastmen,
Who taught them to flee, who was bider at Utstein;
He stopped the ships when the strife he expected,
Blows struck on shields ere Haklang was fallen.

The cool-headed men let the shivering shields
Flash on their backs when stones were striking them.
Eastward they fled home over Jadar;
They thought of the mead horns.

Kjøbenhavnerbukta ved innseilingen til Hafrsfjord, Stavanger.
Kjobenhavnerbukta near the mouth of the Hafrsfjord, Stavanger.

Stokkavatnet, Stavanger

Fra Tasta mot Madlatuå/ *From Tasta towards Madlatuå, Stavanger.*

Feistein fyr, Klepp / *The lighthouse at Feistein, Klepp*

Stavangerhalvøya er sentrum for norsk oljevirksomhet, Tanangerbasen, Sola / *The Stavanger peninsula is the center of the Norwegian Petroleum Industry.*
The base at Tananger.

Stavanger havn / *Stavanger Harbor*

Gamle Stavanger / *Old Stavanger*

Alexander Kiellandmonumentet er laget av Johannes Block Hellum til minne
om tragedien i Nordsjøen 27. mars 1980, Stavanger

*This monument was made by Johannes Block Hellum to commemorate the
capsizing of the oil platform Alexander Kielland March 27, 1980. Stavanger*

Håstein, Sola. Kjent landemerke lengst i vest.
Håstein, Sola, a well known landmark situated at a most westerly point.

Napen, Suldal. 1605 m.o.h. Kjent landemerke lengst i øst.
Napen, Suldal, 1605 metres above sea level. A well known landmark situated at a most easterly point.

Børaunen, Randaberg